Felix & Theo

GW00579641

Donauwalzer

Langenscheidt

Berlin · München · Wien · Zürich · New York

Leichte Lektüren
Deutsch als Fremdsprache in drei Stufen
Donauwalzer *Stufe 1*

Dieses Werk folgt der reformierten Rechtschreibung
entsprechend den amtlichen Richtlinien.

© 1999 by Langenscheidt KG, Berlin und München
Druck: Druckhaus Langenscheidt, Berlin
Printed in Germany
ISBN-13: 978-3-468-49700-1
ISBN-10: 3-468-49700-8

5 6 7 8 * 09 08 07 06

Donauwalzer

Die Hauptpersonen dieser Geschichte sind:

Helmut Müller, Privatdetektiv, übergibt diesen Fall seiner Sekretärin und geht lieber zum Fußballspiel.

Bea Braun, seine Sekretärin, löst diesen Fall fast ganz allein und lernt dabei Wien kennen.

Peter Schaller denkt zu viel ans Geldverdienen und zu wenig an seine Familie.

Ilse Schaller wartet auf ihren Sohn, aber der kommt nicht, denn

Walter Schaller ist auf der Klassenfahrt nach Wien entführt worden.

Elke Hofmann gibt ihrer Freundin Ilse Schaller einen guten Tipp.

Jenny fährt auch nach Wien und trifft Bea Braun nicht nur im Zugabteil.

Herr Vogel ist Lehrer und fährt mit der 13. Klasse nach Wien. Aber nicht alle Schüler kommen von dieser Abiturfahrt zurück.

1

"München Hauptbahnhof! Hier München Hauptbahnhof!
Alle aussteigen, der Zug endet hier!"
Auf dem Bahnsteig warten Väter, Mütter und Freunde auf
die Schüler und Schülerinnen der 13. Klasse des Wittels-
bacher Gymnasiums. Die Kollegstufe[1] kommt von der Abi-
turfahrt nach Wien zurück.
"Hallo! Hallo!"
"Hier bin ich!"
Viele Eltern holen ihre Töchter und Söhne ab.
"Hallo, Mutti! Fein, dass du mich abholst!"
"Na, wie war's?"
"Prima! Wien ist Klasse, echt!"
Eine Schülerin umarmt ihre Mutter und zusammen heben
sie die Reisetasche auf einen Gepäckwagen.

Auch Frau Schaller wartet am Bahnsteig auf ihren Sohn.
Schülerinnen und Schüler stehen in Gruppen, Gepäck wird
ausgeladen, laute Gespräche und lautes Lachen. Gute Laune.
Frau Schaller wendet sich an eine Gruppe:
"Entschuldigung, habt ihr Walter gesehen?"

Doch bevor ihr die Schüler antworten, ruft jemand ihren Namen.

"Frau Schaller, äh, Entschuldigung, mein Name ist Vogel. Ich bin der Betreuungslehrer, äh, ..."

Frau Schaller dreht sich um. Vor ihr steht ein ca. 40 Jahre alter Mann mit Trenchcoat, Lederkoffer und einem verlegenen Lächeln.

"Ja, bitte?"

"Also, Frau Schaller, Sie warten sicher auf Walter?"

"Ja, genau. Wo ist Walter?"

"Also, wie soll ich sagen, äh, also Walter kommt nicht ..."

"Wie bitte? Was soll das heißen?"

"Ja, also Walter ist nicht im Zug, ich meine, er war nicht im Zug. Also, er ist nicht mitgekommen ..."

"Was heißt 'er ist nicht mitgekommen'? Walter hätte mich doch angerufen ..."

"Ja, sehen Sie, Frau Schaller, Walter ist heute Morgen nicht zum Bahnhof in Wien gekommen und ich habe versucht ... und dann war es schon spät ..."

"Sie meinen, Walter hat den Zug verpasst?"

"Nein, oder ja, vielleicht. Ich weiß nicht, Sie wissen ja, Walter ist manchmal ein bisschen eigenwillig und ich dachte ..."

"Was dachten Sie?"

"Ja, äh, vielleicht nimmt er ja den nächsten Zug?"

Frau Schaller schweigt. Sie schlägt den Mantelkragen hoch und verabschiedet sich:

"Ja, vielleicht kommt er mit dem nächsten Zug. Auf Wiedersehen, Herr ...?"

"Vogel!"

"Auf Wiedersehen, Herr Vogel!"

Nachdenklich verlässt sie den Bahnhof und geht zum Parkplatz. Dort steigt sie in ihr Auto und fährt nach Hause.

8

"Drrring!"

Ilse Schaller stellt den Fernsehapparat leiser, sucht ihre Pantoffeln unter dem Sofa und geht in den Flur zur Haustür. Sie schaut durch ein kleines Fenster in der Tür, niemand ist zu sehen.

"Hallo!"

Aber niemand antwortet.

Sie geht zurück ins Wohnzimmer und schaut sich weiter die Fernsehsendung an.

Eine halbe Stunde später hört sie, wie jemand die Haustür aufsperrt.

"Peter? Hallo, Peter, bist du das?"

"Ilse!"

Peter Schaller stürmt ins Wohnzimmer. In einer Hand seine Aktentasche, in der anderen einen aufgerissenen Briefumschlag.

"Hallo, Peter! Guten Abend, was ist los?"

"Was soll das hier? Soll das ein Witz sein? Wo ist Walter?" Er gibt den Brief seiner Frau.

"Walter ist nicht von der Abiturfahrt zurückgekommen ..."

"Was?"

"Ja! Ich war am Bahnhof und sein Lehrer hat mir erzählt, dass Walter in Wien nicht zur Abfahrt erschienen ist. Was sollen wir tun?"

"Was sollen wir tun? Ich weiß es nicht! Du hast doch gelesen: 'Nachricht folgt!' Wir warten erst mal ab!"

"Mensch, Peter! Bist du verrückt? Dein Sohn, ich meine, unser Sohn ist entführt worden und du willst einfach abwarten?"

"Du glaubst doch nicht im Ernst, dass Walter entführt worden ist! Das klingt mir ganz nach einem schlechten Scherz. Ruf doch mal einen seiner Mitschüler an und frag, was los ist. Oder ruf das Hotel in Wien an, oder ..., ach was weiß ich! Wer soll denn Walter entführen?"

Mit diesen Worten geht Peter Schaller ins Wohnzimmer.

Ilse Schaller steht im Flur, liest den Erpresserbrief immer wieder.

Aus ihrer Handtasche holt sie ihr Adressbuch und sucht eine Telefonnummer.

"Elke Hofmann, guten Abend!"

"Hallo, Elke! Hier ist Ilse."

"Hallo, Ilse, wie geht's?"

"Elke, ich muss dich dringend sprechen!"

"Was ist los? Ärger mit Peter?"

"Nein, äh, ich will jetzt nicht am Telefon darüber reden."

"Gut, Ilse, wir treffen uns in 20 Minuten im 'Café Freiheit'."

"Danke, Elke! Bis gleich!"

10

"Privatdetektiv Müller, guten Abend!"

"Entschuldigen Sie, Herr Müller, ich weiß, es ist spät ..."

"Ein Detektiv arbeitet 24 Stunden am Tag ..."

"Ich wollte fragen, ob bei Ihnen noch Bea Braun arbeitet?"

"Bea? Natürlich! Ohne Bea könnte ich meinen Laden schließen. Aber sie ist jetzt nicht mehr im Büro. Es ist schließlich Freitagabend. Sie kommt erst Montagmorgen wieder."

"Äh, entschuldigen Sie, Herr Müller, ich habe mich noch gar nicht vorgestellt. Mein Name ist Elke Hofmann und ich bin eine alte Freundin von Bea ..."

"Moment mal, Frau Hofmann. Ich gebe Ihnen die Privatnummer von Bea. Augenblick ..., ja, hier ist sie. Also ..."

Helmut Müller diktiert die Telefonnummer, verabschiedet sich und legt auf. Er hat sich daran gewöhnt, dass viele von Beas Freunden und Bekannten im Büro anrufen.

Müller liest weiter in seiner Zeitung. Er ist nicht sehr konzentriert, weil er gleichzeitig darüber nachdenkt, wo er auf dem Heimweg noch ein Bier trinken könnte.

Nach fünf Minuten klingelt das Telefon wieder.

"Privatdete..."

"Hallo, Chef! Ich bin's, Bea!"

"Bea! Wie nett, dass Sie sich nach Ihrem alten Chef erkundigen! Danke, mir geht es gut."

"Sehr witzig, Chef! Hören Sie, Meisterdetektiv, kann ich zwei Tage frei haben?"

"Elke!"

"Wie bitte?"

"Vor fünf Minuten hat eine Elke Hofmann angerufen. Und ich nehme an, dass Ihr Urlaub damit zu tun hat ..."

"Bravo! Sehr gut kombiniert! Aber im Ernst, kann ich zwei Tage frei haben?"

"Sie wissen doch besser als ich, dass im Moment nicht viel los ist. Klar, fahren Sie nur ..."

"Sie sind ein Schatz! Tschüs, bis nächste Woche!"

Nach dem Telefonat hat Helmut Müller das Büro verlassen und ist in seine Stammkneipe² gegangen. Dort hat er zwei Bier getrunken und auf Bekannte gewartet. Aber niemand ist gekommen. Ziemlich frustriert sitzt er jetzt zu Hause. Er holt noch ein Bier aus dem Kühlschrank und ärgert sich, dass er die Zeitung im Büro vergessen hat, vor allem wegen dem Fernsehprogramm.

Er öffnet die Flasche und sieht auf die Küchenuhr: erst 11 Uhr, Freitagabend ...

Plötzlich klingelt das Telefon.

"Müller!"

"Chef, ich bin's noch mal. Wir haben einen Fall!"

"Bea! Wie bitte, was meinen Sie?"

"Wir haben einen Fall! Eine Entführung! Kidnapping in Wien!"

"Waren Sie im Kino, Bea? Was soll das, Sie wollten doch ..."

"Ja, das hängt ja alles zusammen. Wir müssen morgen früh sofort nach München!"

"München, Wien, ich verstehe nur Bahnhof, Bea. Und außerdem fahre ich morgen nirgendwohin, außer ins Olympiastadion, ich habe nämlich Karten fürs Pokalfinale[3]!"

"Chef! Ich, äh, ich meine, wir haben einen Auftrag, eine Entführung!"

"Liebe Bea, täglich werden auf der ganzen Welt Menschen entführt, aber nur einmal im Jahr findet das Pokalfinale statt, und da will ich hin! Außerdem gibt es noch andere Detektive und die Polizei ..."

"Nein, keine Polizei! Auf keinen Fall soll die Polizei eingeschaltet werden!"

"Sehr geehrte Kollegin, ich verstehe immer noch nichts! Warten Sie mal, ich brauche einen bequemen Sessel und dann erzählen Sie mal der Reihe nach."

Helmut Müller geht ins Wohnzimmer, setzt sich in seinen Lieblingssessel und schenkt sich ein Glas Bier ein.

"So, da bin ich wieder ..."

"Also, jetzt hören Sie mal zu: Heute Abend hat mich meine Freundin Elke angerufen ..."

"Zuerst hat sie ja mich angerufen ..."

"Unterbrechen Sie mich nicht, Chef!"

"Ich meine ja nur, der Ordnung halber."

14

"Elke hat eine Freundin ..."

"... soll ja vorkommen!"

"Ilse Schaller, verheiratet, ziemlich reich, und deren Sohn Walter ist nicht von der Abiturfahrt nach Hause gekommen ..."

"... soll ja auch vorkommen ..."

"Ich bin noch nicht fertig! Also, am Freitagabend findet Herr Schaller einen Erpresserbrief in seinem Briefkasten. Zuerst nehmen beide die Sache nicht so ernst, da ihr Sohn Walter wohl ein bisschen flippig[4] ist ..."

"... wie Jugendliche eben so sind ..."

"... aber vor einer Stunde erhielten sie einen Anruf aus Wien. Wenn nicht in drei Tagen 100 000 € Lösegeld übergeben werden, passiert Walter ein ..."

"Mensch, Bea! Das ist doch Sache der Polizei!"

"Eben nicht! Keine Polizei! Die Entführer haben gedroht, wenn die Polizei alarmiert wird, wird Walter umgebracht!"

"Und was sollen wir dabei tun?"

"Wir sollen das Lösegeld übergeben ..."

4

"Mensch, Bea! Ich freu mich ..."

"Hallo, Elke! Du hast ja ganz kurze Haare! Seit wann ..."

Die beiden Freundinnen umarmen sich, machen immer wieder Bemerkungen über ihr Aussehen und verlassen den Flughafen München.

"Komm, gib mir deine Reisetasche, das Auto steht da drüben. Wo ist eigentlich dein James Bond[5]?"

"Der ist auf dem Fußballplatz! Der wichtigste Termin des Jahres: Pokalfinale! Aber Bea Bond klingt ja auch nicht schlecht, oder?"

"Besser, viel besser!"

Auf dem Weg in die Stadt erklärt Elke Hofmann, dass sie zuerst nach Nymphenburg fahren, wo Schallers wohnen.

"Nymphenburg ist eine teure Wohngegend."

"Da hast du Recht. Aber Geld spielt bei den Schallers keine Rolle. Peter Schaller ist irgend so ein hohes Tier bei einer Versicherung. Immer nur Arbeit, keine Zeit für die Familie, du weißt schon."

"Und seine Frau?"

"Ach, Ilse ist eigentlich ganz nett. Aber in letzter Zeit, Krise in der Ehe ... Und Walter, also der Sohn, scheint ein schwieriger Typ zu sein. Ziemlich flippig, der Junge: mal Punk[6], mal Techno[7]. Mit 18 gleich ein neues Auto, Pappis Liebling ..."

Elke Hofmann parkt ihren VW Golf in einer ruhigen Straße im Stadtteil Nymphenburg. Die beiden Freundinnen gehen eine Mauer entlang. An einem Tor bleibt Elke stehen. Ein Messingschild mit dem Namen "Schaller", daneben die Klingel und neben der Klingel ein Lautsprecher.

Elke Hofmann drückt den Klingelknopf und wenig später öffnet sich das Tor automatisch. Ein gepflegter Garten mit alten Bäumen liegt vor ihnen. Sie gehen den Kiesweg zum Haus.

"Wahnsinn! Ich dachte, so was gibt's nur im Film."

Bea Braun betrachtet erstaunt die alte Villa.

"Fein, da seid ihr ja!"

Ilse Schaller kommt den beiden entgegen und führt sie ins Haus. Im Flur steht Peter Schaller und mustert Bea Braun skeptisch.

"Sie sind also die Privatdetektivin?"

"Braun. Bea Braun! Und Sie sind Herr Schaller, nehme ich an?"

"Kommt doch rein! Darf ich ihnen etwas anbieten, Frau Braun?", fragt Ilse Schaller freundlich.

Endlich sitzen alle im Wohnzimmer und Frau Schaller wiederholt die Ereignisse:

"Wie Sie ja von Elke bereits wissen, Frau Braun, ist Walter gestern nicht von Wien zurückgekommen. Und dann war da im Briefkasten dieser Brief."

Bea liest die wenigen Zeilen, betrachtet den Umschlag und blickt zu Ilse Schaller:

"Ja, und dann?"

"Gestern Abend kam dann dieser Anruf. Ein Mann mit Wiener Dialekt sagte, dass am Montagabend 100 000 € Lösegeld in Wien sein müssen. Und wenn wir die Polizei anrufen, dann ..."

Ilse Schaller fängt zu weinen an. Ihr Mann wendet sich an Bea:

"Ich bezahle natürlich! Auch Ihre Unkosten und Ihr Honorar. Äh, wie hoch ist denn Ihr Honorar, Frau Braun?"

"Immer mit der Ruhe, Herr Schaller. Darüber reden wir noch. Im Moment brauchen wir noch ein paar Fakten ..."

"Fakten, Fakten! Ist das nicht Fakt genug, dass mein Sohn entführt ist?", ruft Schaller ärgerlich.

"Richtig, Herr Schaller. Mit Fakten meine ich zum Beispiel, dass es doch ganz nützlich wäre zu wissen, ob Ihr Sohn noch lebt?"

Schaller schweigt und blickt in sein Cognacglas.

"Und dann wäre es wichtig, nähere Informationen über die Lösegeldübergabe zu bekommen. Haben Sie das Geld schon?", fragt Bea.

"Nein. Doch, äh, am Montagmorgen gehe ich zur Bank. Und, äh, Sie haben Recht, Frau Braun, wir brauchen ein Lebenszeichen von Walter. Ich werde den Mann heute Abend fragen ..."

"Welchen Mann?"

"Ja, äh den Entführer oder den Komplizen, was weiß ich, den Mann eben, der heute um sechs anrufen wird."

"Warum haben Sie das nicht gleich gesagt?"

"Ja, jetzt hab ich es ja gesagt ..."

"Herr Schaller, wenn ich Ihnen helfen soll, muss ich alles wissen!"

"Schon gut, jetzt wissen Sie es ja. Um 18 Uhr ruft er noch mal an."

Bea Braun macht sich Notizen, liest den Erpresserbrief noch einmal und fragt:

"Haben Sie ein Telefon mit Lautsprecher?"

Ilse Schaller antwortet: "Ich glaube schon."

"Und einen Kassettenrekorder?"

"In Walters Zimmer ist einer."

"Gut. Ich brauch jetzt erst mal einen Kaffee. Wir sind um halb sechs zurück."

Nachdem Elke Hofmann und Bea Braun weg sind, geht Peter Schaller ins Wohnzimmer und schaut sich das Pokalfinale im Fernsehen an.

5

"Nicht besonders sympathisch, dieser Schaller."

"Er kann mit der Situation nicht umgehen ..."

"Wie meinst du das?"

"Na ja, er ist ein typischer ‚Macher' und jetzt kann er eben nichts machen. Er muss warten und ist von anderen abhängig ..."

Die beiden Freundinnen sitzen im 'Café Freiheit' und trinken Kaffee.

"Elke, kannst du nachher kurz am Hauptbahnhof vorbeifahren? Ich möchte mir die Zugverbindungen nach Wien raussuchen."

"Ach, das hat doch noch Zeit, Bea!"

"Schon, aber ich möchte morgen Nachmittag nach Wien fahren."

"Was? Morgen schon? Du kannst doch auch noch Montag früh ..."

"Ich will mir Wien ein bisschen ansehen und noch recherchieren ..."

"Recherchieren? Was meinst du damit?"

"Liebe Elke, irgendetwas stimmt an der ganzen Geschichte nicht."

"Was stimmt denn überhaupt an Entführungen?"

"Gute Frage. Aber in der Regel wird jemand entführt und gegen Geld wieder freigelassen. Irgendwie ein Geschäft. Und die Leute, die so was machen, wissen meist ziemlich genau, wen sie entführen und welche Forderungen sie stellen."

"Ja, und ... was stimmt hier nicht?"

"Denk doch mal nach, Elke! Schaller ist reich, sehr reich! Und da wollen die Entführer nur 100 000 €?"

"Ich wäre froh ..."

"Und dann, warum wird Walter in Wien entführt? In München hätte es bestimmt bessere Gelegenheiten gegeben. Und einer der Entführer oder ein Komplize ist hier, in München."

"Woher weißt du das?"

"Ganz einfach: Auf dem Briefumschlag war keine Adresse, keine Briefmarke, der ist einfach in den Briefkasten gesteckt worden. Vermutlich erst gestern Nachmittag. Ilse Schaller hat ihn nicht gefunden, erst ihr Mann, am Abend."

"Stimmt! Und was willst du jetzt tun?"

"Jetzt fahren wir am Bahnhof vorbei, dann zu Schallers und später machen wir uns einen gemütlichen Abend. Hallo, zahlen!"

"Lass mal, Bea, du bist mein Gast!"

"Schon gut, Elke. Das geht alles auf Rechnung Schaller."

Um halb sechs sitzen alle wieder in Schallers Wohnzimmer. Ilse Schaller raucht nervös, Elke Hofmann trinkt Mineralwasser, Peter Schaller sitzt auf dem Sofa. Bea Braun testet den Kassettenrekorder, spult das Band zum Anfang und notiert Stichwörter auf einen Zettel.

"Wenn das Telefon klingelt, heben Sie ab und drücken gleichzeitig auf den Lautsprecher. Ich schalte dann den Rekorder ein und wir nehmen das Gespräch auf. Sprechen Sie langsam, fragen Sie, lassen Sie den Mann die Angaben wiederholen ..."

"Wozu soll das gut sein?", fragt Schaller ärgerlich.

"Manchmal erfährt man sehr viel über Hintergrundgeräusche."

Schaller nickt wortlos.

"Ich habe Ihnen ein paar Stichwörter aufgeschrieben. Das Wichtigste steht hier: Lebenszeichen! Fordern Sie, dass Sie mit Walter sprechen können, vielleicht ist er ja im gleichen Raum. Fragen Sie Walter, wie es ihm geht, ob er gesund ist ..."

Bei diesen Worten fängt Ilse Schaller wieder zu weinen an.
"Tut mir Leid, Frau Schaller, aber wir müssen realistisch
sein. Ja, und dann fragen Sie nach dem Ort und dem Zeit-
punkt der Lösegeldübergabe. Lassen Sie sich den Ort genau beschreiben ..."

Alle schweigen und schauen auf die antike Uhr. Zehn Mi-
nuten vor sechs. Da klingelt das Telefon.
"Oh, die Herren haben es eilig", sagt Bea und drückt den
Aufnahmeknopf am Kassettenrekorder.
Peter Schaller hebt den Hörer ab, drückt den Lautsprecher-
knopf und meldet sich: "Schaller!"

Die drei Frauen starren auf das Telefon. Ein paar Sekunden vergehen, dann hören sie eine Stimme. Wiener Dialekt, ein Mann:

" ... Montagabend, 18 Uhr, Hotel Zentral. Da kriang'S a neie[8] Information ..."

"Hören Sie, ich will meinen Sohn sprechen!"

Am anderen Ende der Leitung Stille.

"Hören Sie, ich zahle erst, wenn ich meinen Sohn ..."

Klick! Aufgelegt.

"Verdammt!" Peter Schaller starrt wütend auf den Telefonhörer.

"Und was jetzt?" Ilse Schaller blickt ratlos zu Bea Braun.

"Keine Panik! Die haben schon verstanden. Die melden sich wieder ..."

"Und wenn Walter etwas zugestoßen ist?"

Peter Schaller schaut finster zu Bea und legt den Hörer auf.

Wenige Minuten später klingelt das Telefon wieder.

"Na also!", ruft Bea und drückt die Aufnahmetaste.

Auch Peter Schaller drückt seinen Knopf am Telefon und alle hören Walters Stimme:

"Hallo, Vati, hallo, Mutti! Mir geht es gut. Bitte bringt das Geld. Ich muss auflegen, tschüs ..."

"Walter! Walter, wo steckst du?" Peter Schaller ruft in den Telefonhörer, aber am anderen Ende ist bereits aufgelegt worden.

23

6

Bea Braun sitzt im Zug nach Wien.

In ihrem Gepäck sind 100 000 € Lösegeld, ein Foto von Walter, ein Stadtplan von Wien, Notizen und ein Handy, das ihr Peter Schaller mitgegeben hat. Sie schaut aus dem Fenster und genießt die Aussicht.

In ihrem Zugabteil sitzt noch eine junge Frau, vielleicht 18, 19 Jahre alt. Sie hat die Augen geschlossen und hört laute Musik mit einem Walkman. Die Musik ist so laut, dass Bea trotz der Kopfhörer den Rhythmus hört. Ravemusik. Die gleiche Musik wie letztes Jahr auf der Loveparade[9] in Berlin. Bea trommelt den Takt mit den Fingern auf der Armlehne.

"Gefällt dir die Musik?" Das Mädchen schaut auf Beas Finger.

"Klar! Voll zum Abtanzen[10]!"

"Warst du schon mal auf der Loveparade?"

"Klar! Auf jeder, ich komm aus Berlin."

"Ich war letzten Sommer da. Wahnsinn, voll geil[11]!"

"Genau! Wo fährst du hin?"

Das Mädchen schaltet den Walkman aus, nimmt den Kopfhörer ab und stellt sich vor:

"Ich heiße Jenny, ich fahr für ein paar Tage nach Wien."

"Ich bin Bea. Ich fahr auch nach Wien, bisschen Urlaub machen. Kennst du Wien?"

"Na ja, kennen kann man nicht sagen. Aber ich war schon mal da. Tolle Stadt!"

"Kannst du mir ein paar Tipps geben, Kneipen, Discos und so?"

"Klar. Du musst unbedingt ins 'Atrium', im 4. Bezirk."

"Im 4. Bezirk?"

"Ja! Wien ist in Bezirke eingeteilt. Wie bei uns in deutschen Städten in Stadtviertel!"

"Ach so. Warte mal, ich hab hier einen Stadtplan ..."

Jenny zeigt Bea die Adressen von Sehenswürdigkeiten, gibt ihr Tipps und bald erreichen sie die Hauptstadt von Österreich.

Im Bahnhof verabschiedet sich Jenny eilig und Bea geht zur "Tourist-Information."

"Entschuldigung, ich suche ein Hotelzimmer."

"Da san'S bei mir richtig, gnädiges Fräulein!", lächelt der freundliche Herr hinter dem Schreibtisch.

"Was wolln'S denn ausgeben?"

"Wie bitte?"

"Wie teuer derf's denn sein, das Hotel?"

"Ach so! Ja, es soll gemütlich sein und im Zentrum. Ich gehe gerne zu Fuß, um eine Stadt kennen zu lernen."

"Ja, da empfehle ich Ihnen das 'Maria Theresia'. Sehr komfortabel, aber nicht billig. Und da kommen Sie zu Fuß schnell ins Zentrum."

Der Mann zeigt Bea auf dem Stadtplan das Hotel, nennt den Preis und reserviert per Telefon das Zimmer.

Bea bedankt sich, nimmt noch ein paar Prospekte über Wien mit und verabschiedet sich. Vor dem Bahnhof nimmt sie ein Taxi und fährt zum Hotel.

7

In ihrem Zimmer breitet Bea Braun den Stadtplan aus und markiert einige Adressen. Zuerst das Hotel Zentral in der Seilergasse, dann einige Sehenswürdigkeiten, die sie am nächsten Tag besuchen möchte. Schließlich sucht sie den Schwarzenbergplatz, wo die Disco ist, die Jenny empfohlen hat.

"Das ist vielleicht das richtige Fitness-Programm für heute Abend, aber erst mal Wiener Luft atmen und was essen."

An der Rezeption gibt sie die Tasche mit dem Lösegeld ab.
"Könnten Sie das bitte in den Safe legen?"
"Aber gerne, gnädiges Fräulein."

Lächelnd verlässt Bea das Hotel. Wie eine typische Touristin hält sie den aufgeschlagenen Stadtplan in der Hand und orientiert sich an den eingezeichneten Gebäuden: Vom Messepalast kommt sie zum Kunsthistorischen Museum, überquert den Burgring[12] und steht auf einem großen Platz.

"Der Heldenplatz - weiter Platz mit zwei grandiosen Rei-
termonumenten aus dem 19. Jahrhundert vor der majestäti-
schen Hofburg, die bis 1918 die Residenz der österreichischen Kaiser war. Hier kann man noch immer einiges von
Glanz und Größe der österreichischen Monarchie spüren."
So steht es im Prospekt und Bea ist beeindruckt. Viele Tou-
risten sind genauso beeindruckt und halten diesen Eindruck
mit Videokameras oder Fotoapparaten fest. Das warme
Abendlicht gibt den Gebäuden einen fast goldenen Glanz.
Beim Weitergehen denkt Bea darüber nach, was sie eigent-
lich über die österreichische Geschichte weiß. Wenig.
Doch, als Schülerin hat sie einmal einen Film gesehen:
"Sissi - Jugendjahre einer Kaiserin" mit Romy Schneider in
der Hauptrolle. Ziemlich kitschig.
An der Hofburg spaziert sie entlang zum Ballhausplatz[13]
und von dort in den Volksgarten. Viele Menschen sind un-
terwegs und machen ihren Sonntagabendspaziergang.
Bea bekommt Hunger. Sie orientiert sich. Vor ihr ein großes
Denkmal - Kaiserin Elisabeth.
"Ach du meine Güte, die sieht aber ganz anders aus als im
Film!", denkt Bea, als sie die mächtige Statue der sitzenden
"Sissi" betrachtet.

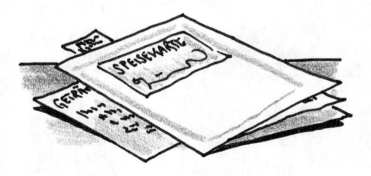

"Haben Sie schon gewählt?"

"Nein, noch nicht. Was können Sie mir denn empfehlen?"

"Möchten das gnädige Fräulein Fleisch oder Fisch?"

"Fisch wäre nicht schlecht."

"Dann empfehle ich Ihnen ein Zanderfilet mit grünem Salat. Dazu passt sehr gut ein Grüner Veltliner."

"Ein was?"

"Das ist ein trockener Weißwein."

"Ja, gerne."

"Und zum Nachtisch einen Topfenstrudel[14] oder die Spezialität des Hauses: Powidltascherl[15]."

"Müller!"

"Chef, ich hab Schiss!"

"Hallo, Bea! Wo sind Sie?"

"Ich bin schon in Wien."

"Und?"

"Ja, ich war ein bisschen spazieren, und vorhin, beim Essen, hab ich über meinen Auftrag nachgedacht, die Lösegeldübergabe."

"Keine Panik, Bea! Die Typen wollen das Geld und sonst nichts. Machen Sie genau, was die Ihnen vorschlagen."

29

"Ja, ich weiß, aber ..."

"Jetzt trinken Sie erst mal einen Schluck oder gehen in die Disco, bis morgen ist ja noch Zeit."

"Du meine Güte! Ich geh nur noch ins Bett. Ich kann mich kaum bewegen, zu viel gegessen ..."

"So? Was denn?"

"Äh, Zanderfilet, und dann eine riesige Nachspeise, äh, Po-dodl ... Podidl ..."

"Powidltascherl?"

"Genau!"

"Nichts für die schlanke Linie! Tausende von Kalorien."

"Tja, ich kann mir das leisten! Vielleicht ist es ganz gut, dass ich den Auftrag übernommen habe. Sie würden vor lauter Wiener Spezialitäten den Lösegeld-Termin verpassen."

"Na, das klingt schon besser! Typisch Bea Braun! Übrigens müssen Sie unbedingt in ein Kaffeehaus gehen und Top-fenstrudel essen ..."

"Hören Sie auf! Wenn ich nur an Essen denke ..."

"Schon gut. Rufen Sie mich an, wenn es Probleme gibt, dann ..."

"O.k., Supermann! Dann kommen Sie sofort angeflogen! Danke und gute Nacht ..."

8

"Mist!"

Verschlafen schaut Bea Braun auf die Uhr.

"Schon elf vorbei!"

Sie springt aus dem Bett, duscht, zieht sich an und packt ihre Handtasche.

Diesmal spaziert sie vom Hotel zum Burggarten, und von dort ins Zentrum. Ihre erste Station ist das von Jenny empfohlene Kaffeehaus "Bräunerhof". Sie findet einen freien Tisch und liest die Speisekarte. Bea ist erstaunt, dass es so viele Möglichkeiten gibt, Kaffee zuzubereiten:

Einspänner, Kapuziner, Fiaker, Piccolo, Mokka, Melange und viele mehr.

"Bitt schön, die Dame ..."

"Ich hätte gerne einen Milchkaffee."

"Eine Melange".

"Ja, gerne, und eine Süßspeise."

"Eine Mehlspeise?"

"Ach ja, eine Mehlspeise, einen Topfenstrudel."

"Bitte sehr, kommt sofort."

Bea sieht sich in dem Kaffeehaus um. Fast alle Tische sind besetzt, obwohl es erst ein Uhr ist. Die Menschen lesen Zeitung, unterhalten sich. Keine Hektik. Eine sehr gemütliche Atmosphäre.

Der Kellner bringt ihre Melange, ein Glas Wasser und den Topfenstrudel.

"Lecker, diese Wiener Mehlspeisen! Wenn ich hier eine Woche bleibe, sehe ich so aus wie mein Chef", denkt Bea und isst mit Vergnügen ihren Strudel.

Sie breitet auf dem Tisch ihre Unterlagen aus und stellt fest, dass gleich in der Nähe die Seilergasse ist. Dort will sie auf

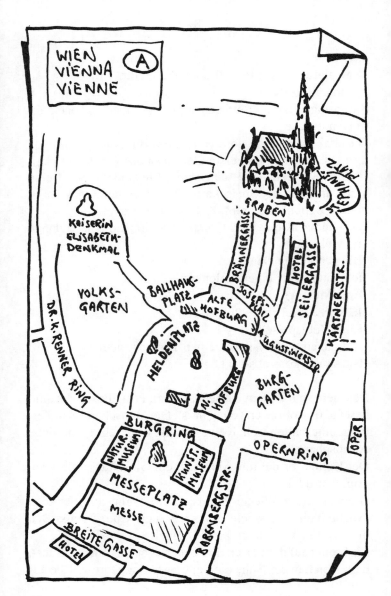

jeden Fall vorbeigehen, um sich das Hotel anzusehen. Bis
18 Uhr ist noch viel Zeit, aber sie möchte mal einen Blick
darauf werfen.
Für das Tourismusprogramm hat sie sich den Stephansdom, den Naschmarkt[16] und die Kärntner Straße vorge-
nommen.

Von der anderen Straßenseite betrachtet Bea Braun das
Hotel Zentral. Ziemlich schmucklose Fassade. Das Hotel
sieht einfach und billig aus. Durch die Glastüre sieht sie
die Rezeption. Aber sie erkennt niemand, die Sonne spiegelt sich im Glas. Langsam geht sie weiter, schaut, ob sie
irgendetwas Verdächtiges bemerkt. Nichts ist auffällig,
ein normaler Montagnachmittag.
Von der Seilergasse sind es nur ein paar Schritte zum Stephansplatz. Die Kirche, der "Stephl", ist das Wahrzeichen
von Wien. Bea betrachtet das bunte Durcheinander auf
dem Platz. Lange steht sie vor dem Haas-Haus[17] und ist
fasziniert von dem Effekt, wie sich der Stephansdom in
der Glasfassade spiegelt. Das Alte spiegelt sich im Neu-
en, das Bekannte im Fremden, philosophiert Bea.

Um fünf Uhr ist Bea zurück im Hotel Maria Theresia, in
der Breiten Gasse. Ihre Beine schmerzen. Sie legt die Tü-
ten mit den gekauften Souvenirs aufs Bett und sich daneben.
Dann holt sie aus ihrer Reisetasche den Umschlag mit
ihren Notizen. Das Foto von Walter steckt sie ein. Dann
zieht sie sich um: Jeans, Rollkragenpullover, Lederjacke,
Turnschuhe. Vor dem Spiegel überlegt sie, ob man jetzt
auch noch "gnädiges Fräulein" zu ihr sagen würde.

An der Rezeption holt sie das Päckchen mit dem Lösegeld ab und ruft ein Taxi. Die Fahrt dauert nur ein paar Minuten und Bea wartet in der Nähe vom Hotel Zentral. Sie schaut sich Geschäfte an und mit ihrer Kleidung und der Sonnenbrille sieht sie aus wie eine Touristin beim Einkaufsbummel. Dabei beobachtet sie die ganze Zeit den Eingang des Hotels. Niemand geht rein, niemand kommt raus.

Bea wird nervös. Um 18 Uhr soll sie an der Rezeption sein, dort gibt es weitere Informationen. Noch fünf Minuten.

Bea überquert die Straße.

Mit klopfendem Herzen betritt sie das Hotel.

Das Foyer ist leer. Ein paar alte Ledersessel, vertrocknete Pflanzen. Sie geht zur Rezeption.

Ein junger Mann mit langen Haaren, unrasiert, liest Zeitung.

"Guten Abend."

"Bitt schön, Sie wünschen?"

Die gleiche Stimme wie am Telefon!

"Ich soll um 18 Uhr hier sein."

"Kommen'S wegen dem Walter?"

"Äh, ja."

"Ja, dann soll ich Ihnen das geben."

Der Mann gibt Bea eine Plastiktüte.

"Da is ois[18] drin. Küss die Hand."

Der Typ lächelt ironisch.

Bea nimmt die Tüte und verlässt das Hotel.

Eilig geht sie zum Stephansplatz. Unter den vielen Menschen fühlt sie sich sicher. Sie schaut in die Plastiktüte. Darin ist nur ein Rucksack. Sie nimmt den Rucksack heraus, leer. Nein, in dem Rucksack liegt ein Zettel.

Bea entfaltet den Zettel. Mit der gleichen Schrift wie in dem Erpresserbrief steht da:

LEGEN SIE DAS GELD IN DEN RUCKSACK!
GEBEN SIE DEN RUCKSACK
UM 20 UHR
AN DER BAR DER DISCO
"ATRIUM" AB!
KEINE POLIZEI!!

Bea liest den Zettel noch einmal. Sie ist ratlos. Was ist mit Walter? Was passiert, wenn sie das Geld abgegeben hat?
Sie holt das Handy aus der Handtasche und versucht Müller anzurufen. Zu Hause ist er nicht und im Büro nur der Anrufbeantworter. Nachdenklich spaziert sie über den Stephansplatz.
Plötzlich hat Bea eine Idee.
An einem Kiosk kauft sie ein paar Tageszeitungen, ruft ein Taxi und fährt in ihr Hotel.

35

9

"Einen Wodka mit Bitter Lemon und viel Eis."
"Kommt gleich."
Bea Braun sitzt an der Bar der Discothek "Atrium" und
sieht sich um. Nur junge Leute, Studenten. Die meisten sit-
zen in Gruppen, trinken, reden. Die Tanzfläche ist leer.
"Dein Wodka!"
"Danke schön! Übrigens, ich soll das hier abgeben."
Bea schiebt den Rucksack über die Theke.
"Ach ja, für Walter."
Der Barkeeper nimmt den Rucksack und legt ihn unter die
Theke. Bea beobachtet ihn und wartet.

"Hallo, Bea!"
Bea dreht sich erstaunt um und neben ihr steht Jenny, das
Mädchen vom Zug.
"Jenny! Hallo!"

"Na, wie findest du Wien?"

"Bis jetzt ganz prima!"

"Du bist zu früh."

"Wie, äh, was meinst du?"

"Hier ist erst ab zehn Uhr was los."

"Und was machst du dann so früh hier?"

"Ich, äh, ich warte auf jemanden. Moment mal, ich komme gleich wieder!"

Bea glaubt nicht an Zufälle und beobachtet genau, was Jenny tut.

Sie geht zum Barkeeper, der gibt ihr den Rucksack. Mit dem Rucksack über der Schulter geht sie zur Damentoilette.

Nach kurzer Zeit kommt sie wieder, ziemlich nervös, und spricht wieder mit dem Barkeeper. Der dreht sich in Richtung Bea und zeigt auf sie. Jenny erschrickt und rennt los.

Bea wirft einen Zehn-Euro-Schein auf die Theke und rennt hinterher. Quer über die leere Tanzfläche, raus aus der Disco. Einige Gäste schauen erstaunt hinterher.

Jenny rennt über den Schwarzenbergplatz, am Heumarkt entlang, Richtung Stadtpark. Nach 400 Metern hat Bea Jenny eingeholt. Beide atmen heftig.

"Sind Sie von der Polizei?"

"Du kannst ruhig du zu mir sagen."

"Ich bin Privatdetektivin. Und wer bist du?"

"Ich bin Walters Freundin."

"Und wo ist Walter?"

"Der wartet im Hotel auf mich."

"Also keine Entführung?"

"Nein, keine Entführung ..."

"Na komm! Der Spaziergang wird uns gut tun ..."

Bea legt den Arm um Jennys Schulter und sie spazieren zum Hotel Zentral.

"Das gibt's doch nicht!"
"Küss die Hand, gnädiges Fräulein!"

Helmut Müller sitzt in einem alten Ledersessel und winkt lächelnd. Neben ihm sitzt ein junger Mann: Nervös, schüchtern. Bea kennt ihn vom Foto: Walter Schaller. Als er Jenny sieht, springt er auf und nimmt sie in die Arme.
"Woher kommen Sie denn, Chef?"
"Supermann ist eben eingeflogen ..."
"Ja, aber, Walter ..."
"Das war nicht schwer! Aber das erzähle ich Ihnen am besten beim Essen ..."
"Und die beiden?"
"Die fahren morgen früh mit dem ersten Zug nach München."

"Wo sind die beiden?"

"Die sind bestimmt auf ihr Zimmer gegangen, die müssen früh aufstehen. Und den Rucksack haben sie auch vergessen. Auf den passe jetzt lieber ich auf ..."

Beim Essen erzählt Müller, dass ihn Frau Schaller angerufen hat. Sie hat noch mal mit dem Betreuungslehrer Vogel telefoniert und erfahren, dass Walter das Abitur bestimmt nicht schaffen wird. Und dass er eine Riesenangst davor hat. Vor allem, dass er dadurch für seinen Vater zum Versager wird.

"Für den alten Schaller zählt nur Leistung, Erfolg, Geld. Und dieser Druck war wohl zu viel für Walter."

"Und da wusste der Meisterdetektiv, dass es keine Entführung ist?"

"Im Prinzip schon. Walter ist einfach durchgedreht und hat diese Entführungsgeschichte inszeniert. Aber das haben Sie doch auch geahnt, Bea?"

"Ja, die Erpressungssumme, der Brief ohne Adresse, den hat wohl Jenny eingeworfen?"

"Sicher! Sie wollte ihm helfen. Die beiden lieben sich ..."

"Und warum haben Sie mir nichts davon erzählt?"

"Ach, äh, Sie wollten doch ein paar Tage Ferien machen, oder? Und der schönste Urlaub ist bezahlter Urlaub!"

"Wie meinen Sie das?"

"Ich habe heute Morgen mit dem alten Schaller telefoniert und ihm meine Meinung gesagt. Kinder brauchen Liebe, die kann man nicht erkaufen!"

"Oho! Der Privatdetektiv als Pädagoge ..."

"Wenn es sein muss. Und dann hat er mich gebeten, nach Wien zu fliegen, mit Walter zu reden und mit der cleveren Privatdetektivin ein paar Tage Betriebsurlaub zu machen ..."

"Und das bezahlt alles Schaller?"

"Genau! Und unsere Unkosten sollen wir gleich vom Lösegeld bezahlen. Herr Ober! Zahlen!"

Der Kellner kommt und bringt die Rechnung.

Helmut Müller greift in den Rucksack, um ein paar Geldscheine herauszuholen. Aber in der Hand hält er nur ein paar Streifen Zeitungspapier. Müller kippt den Rucksack um: Nur Zeitungspapier! Sprachlos schaut er zu Bea.

"Wo ist das Lösegeld?"

"Keine Entführung, kein Lösegeld", lächelt Bea.

Die Musiker im Restaurant spielen den "Donauwalzer"[19].

ENDE

Landeskundliche Anmerkungen:

1   Kollegstufe: In der BRD heißen die 12. und 13. Klasse eines Gymnasiums Kollegstufe. Die Schülerinnen und Schüler wählen in der Kollegstufe die Fächer für ihren Schwerpunkt im Abitur (= Leistungskurs), z. B. Naturwissenschaften, Sprachen oder Kunst, Musik, ...

2   Stammkneipe: die Kneipe (Gasthaus oder Bar), in die man bevorzugt geht

3   Pokalfinale: Fußballendspiel um den Deutschen Fußball-Pokal (Wettbewerb, an dem alle Fußballmannschaften, gleich welcher Liga, teilnehmen.)

4   flippig: Jugendsprache, hier = unausgeglichen, unkonventionell

5   James Bond: Titelheld der Agentenromane von Ian Fleming, weltbekannt durch die Verfilmungen mit Sean Connery, Roger Moore u. a.

6   Punk: Punker sind Jugendliche, die durch betont auffallende Kleidung, Schminke und Haartracht auf sich aufmerksam machen; zugehörige Musikrichtung: Punk-Rock

7   Techno: Moderne Musikrichtung

8   Da kriang'S a neie Information. (österreichisch) = Da bekommen Sie eine neue Information.

9   Loveparade: Großer Umzug mit Musik, zu dem sich jedes Jahr Tausende von Jugendlichen in Berlin treffen und singend und tanzend durch die Stadt ziehen.

10 voll zum Abtanzen (Jugendsprache): ganz toll

11 voll geil (Jugendsprache): ganz toll

12 Burgring: eine der ringförmig um die Altstadt von Wien verlaufenden Straßen

13 Ballhausplatz: Platz in der Altstadt von Wien; "Ballhaus" wurde seit dem 15. Jahrhundert ein Gebäude genannt, in dem ursprünglich Ballspiele stattfanden.

14 Topfenstrudel: österreichische Spezialität, dünner, gerollter Teig (Strudel) mit Quark (Topfen) gefüllt

15 Powidltascherl: mit Pflaumenmus gefüllte Taschen aus Kartoffelteig

16 Naschmarkt: Lebensmittelmarkt in Wien

17 Haas-Haus: 1990 fertiggestelltes Haus mit spektakulärer Glasfront des Wiener Architekten Hans Hollein

18 Da is ois drin. (österreichisch) = Da ist alles drin.

19 Donauwalzer: populärer Walzer von Johann Strauß

Übungen und Tests

1. Welche Personen entdecken Sie in diesem Abschnitt? Über wen erfahren Sie hier schon etwas?

Personen	Wo?	Was erfahren Sie?
Frau Schaller	München Hbf	wartet auf Walter

2. Beobachten Sie Ilse und Peter Schaller. Wie reagiert die eine und wie der andere auf den Erpresserbrief? Lesen Sie auch noch einmal Abschnitt eins: Was sagt Herr Vogel über Walter? Entwerfen Sie ein Diagramm, um sich Klarheit über die Personen in dieser Familie zu verschaffen.

1.-3. Alles, was Sie in den ersten drei Abschnitten erfahren haben, spielt an einem Tag: Freitag. Ordnen Sie die Ereignisse zeitlich.

a) Müller geht in seine Stammkneipe
b) Frau Schaller wartet am Hauptbahnhof auf Walter
c) Bea möchte von ihrem Chef Urlaub haben
d) Elke ruft Müller an
e) Walter ist nicht im Zug
f) Peter Schaller bekommt einen Erpresserbrief
g) Ilse Schaller ruft Elke an
h) Elke ruft Bea an

43

4. Was geschieht wo?

1. in der Villa 2. im Café Freiheit 3. im Auto
4. in Nymphenburg
Schreiben Sie die Zahlen in die Kästchen.

☐ Peter Schaller ist unfreundlich zu Bea Braun.
☐ Elke Hofmann beschreibt Bea die Familie Schaller.
☐ Bea und Elke treffen sich in München.
☐ Ilse Schaller weint.
☐ Bea und Elke gehen Kaffee trinken.

1. - 5. Es geht hier offenbar um eine Entführung. Was gehört alles zu einer Entführung? Lesen Sie die ersten 5 Abschnitte noch einmal und legen Sie einen Wortigel an.

6. In Abschnitt 6 gibt es sprachliche Abweichungen von der "Hochsprache".

a) Was ist *Jugendsprache* im Dialog zwischen Jenny und Bea? Notieren Sie.
b) Bea hat Schwierigkeiten, den österreichisch sprechenden Mann in der Touristeninformation zu verstehen. Können Sie übersetzen?

Da *san'S* bei mir richtig. _____

Was *wolln'S* denn ausgeben? _____

Wie teuer *derf'S* denn sein? _____

44

7. - 8. Markieren Sie Beas Spaziergänge durch Wien auf dem Plan.

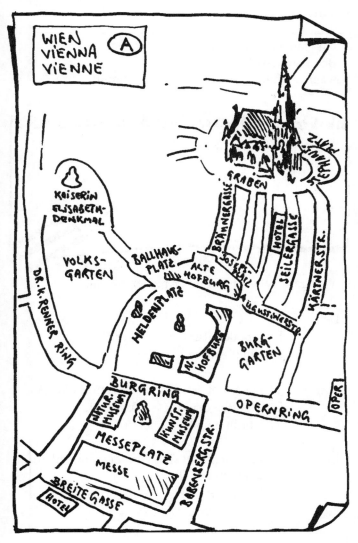

8. Warum kauft Bea wohl Tageszeitungen? Was ist ihre Idee? Spekulieren Sie und halten Sie Ihre Vermutungen schriftlich fest.

> Ich glaube/denke/meine/vermute ...
> Bea könnte/will vielleicht ...
> wahrscheinlich/möglicherweise/bestimmt ...

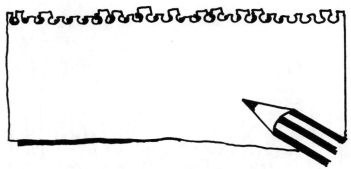

9. Was geschieht im Atrium? Kreuzen Sie an.

Bea
- ☐ tanzt.
- ☐ gibt den Rucksack an der Theke ab.
- ☐ trinkt Kaffee.

Jenny
- ☐ bekommt den Rucksack vom Barkeeper.
- ☐ gibt Bea den Rucksack zurück.
- ☐ ist ruhig und gelassen.

Bea
- ☐ verabschiedet sich von Jenny und bleibt allein in der Disco.
- ☐ holt die Polizei.
- ☐ läuft Jenny nach.

10. Was hat Müller gemacht, nachdem Bea ihn aus Wien angerufen hat? Machen Sie einen Bericht mit Hilfe der Stichwörter, die Sie zeitlich ordnen müssen.

Müller wirkt pädagogisch.
Müller nimmt das Angebot von Peter Schaller an, mit Bea Betriebsurlaub in Wien zu machen.
Müller kombiniert: keine Entführung.
Müller fliegt nach Wien.
Müller bekommt einen Anruf von Frau Schaller.
Müller ruft Herrn Schaller an.

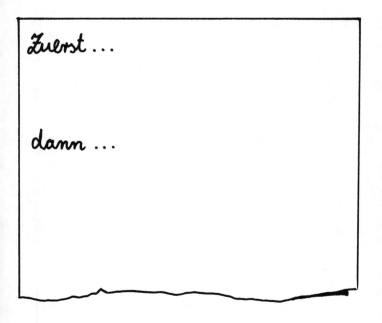

Zuerst ...

dann ...

Sämtliche bisher in dieser Reihe erschienenen Bände:

Stufe 1

Oh, Maria...	32 Seiten	Bestell-Nr.	**49681**
– mit Mini-CD	32 Seiten	Bestell-Nr.	**49714**
Ein Mann zu viel	32 Seiten	Bestell-Nr.	**49682**
– mit Mini-CD	32 Seiten	Bestell-Nr.	**49716**
Adel und edle Steine	32 Seiten	Bestell-Nr.	**49685**
Oktoberfest	32 Seiten	Bestell-Nr.	**49691**
– mit Mini-CD	32 Seiten	Bestell-Nr.	**49713**
Hamburg – hin und zurück	40 Seiten	Bestell-Nr.	**49693**
Elvis in Köln	40 Seiten	Bestell-Nr.	**49699**
– mit Mini-CD	40 Seiten	Bestell-Nr.	**49717**
Donauwalzer	48 Seiten	Bestell-Nr.	**49700**
Berliner Pokalfieber	40 Seiten	Bestell-Nr.	**49705**
– mit Mini-CD	40 Seiten	Bestell-Nr.	**49715**
Der Märchenkönig	40 Seiten	Bestell-Nr.	**49706**
– mit Mini-CD	40 Seiten	Bestell-Nr.	**49710**

Stufe 2

Tödlicher Schnee	48 Seiten	Bestell-Nr.	**49680**
Das Gold der alten Dame	40 Seiten	Bestell-Nr.	**49683**
– mit Mini-CD	40 Seiten	Bestell-Nr.	**49718**
Ferien bei Freunden	48 Seiten	Bestell-Nr.	**49686**
Einer singt falsch	48 Seiten	Bestell-Nr.	**49687**
Bild ohne Rahmen	40 Seiten	Bestell-Nr.	**49688**
Mord auf dem Golfplatz	40 Seiten	Bestell-Nr.	**49690**
Barbara	40 Seiten	Bestell-Nr.	**49694**
Ebbe und Flut	40 Seiten	Bestell-Nr.	**49702**
– mit Mini-CD	40 Seiten	Bestell-Nr.	**49719**
Grenzverkehr am Bodensee	56 Seiten	Bestell-Nr.	**49703**
Tatort Frankfurt	48 Seiten	Bestell-Nr.	**49707**
Heidelberger Herbst	48 Seiten	Bestell-Nr.	**49708**
– mit Mini-CD	48 Seiten	Bestell-Nr.	**49712**

Stufe 3

Der Fall Schlachter	56 Seiten	Bestell-Nr.	**49684**
Haus ohne Hoffnung	40 Seiten	Bestell-Nr.	**49689**
Müller in New York	48 Seiten	Bestell-Nr.	**49692**
Leipziger Allerlei	48 Seiten	Bestell-Nr.	**49704**
Ein Fall auf Rügen	48 Seiten	Bestell-Nr.	**49709**
– mit Mini-CD	48 Seiten	Bestell-Nr.	**49726**